Peter Härtling
Die Mörsinger Pappel

Peter Härtling
Die Mörsinger Pappel
Gedichte

Luchterhand

Lektorat: Klaus Siblewski
Umschlaggestaltung: Christa Schwarzwälder
Herstellung: Ralf-Ingo Steimer

© 1987 by Hermann Luchterhand Verlag
GmbH & Co KG, Darmstadt und Neuwied
Satz und Druck:
Druck- und Verlags-Gesellschaft mbH, Darmstadt
Bindearbeiten: Lachenmaier, Reutlingen
ISBN 3-472-86653-5

# Die Mörsinger Pappel

*Kassiber*

Woran ich darbe –
ich hab es ausgebeint.
Eine Geschichte erzählte ich euch,
ihr habt sie vergessen
bis auf den letzten Satz.

Ihr rechtet mit mir,
mit einem,
der sich durch Erinnern verrät.

Dort aber, auf der Linie,
die ihr scheut, vorm Abgrund,
sammle ich eure Nachrede ein
und widerlege,
was ihr mir zuschreibt:

Mit einem Wort, mit mir.

## Einfache Einsicht

Vorm Hinausgehn
sich den grauen Hut
ausdenken,
ihn sich aufsetzen,
den Regen erwarten,
den Schleier des Regens,
ein Gespräch beginnen
mit jener,
die dich nicht erwartet,
die du erwartest,
solange du noch
den Schatten der Krempe
für den Horizont hältst,
den Rest des Tages
für dein Leben.

## Herbstliche Warnung

Ausbrechend
aus meiner Schwermut
warne ich die Nachbarn
mit Rauch und Feuer:
Kommt mir nicht zu nah,
wartet ab,
seht zu,
bis ich, ein Tänzer
mit schweren Beinen,
die Trauben stampfe,
das gewünschte Glück,
diese Maische,
in der ich,
wenn ich schwer genug bin,
untergehen werde,
ausgebrochen
aus meiner Schwermut.

## Unsere Erinnerung

Mit dem Funkenschläger
laufen wir übers Eis,
merken, wie die Luft
taut, das Meer zurückkehrt.
Die Zurückgelassenen
rotten sich zusammen
und reiben die Erde heiß,
Wälder wachsen aus
ihren Schlüsselbeinen.
Die Horizonte fransen aus.

Ist die Erde, fragst
du mich, eine Kugel?
Nein, antworte ich, nein,
und verwandle mich
in meine Schwester.
Wir werden zusehen, wie
die Kugel sich auflöst
und unser Gedächtnis
ausreicht
für ihr Ende.

*Eine Art von Glück*

Wir trafen uns
unvorbereitet,
redeten uns
die günstige Jahreszeit
ein.
Du jagtest deine Hunde
voraus,
und wir tauschten
unsere Gesichter.
Wir erfanden ein Zimmer,
in dem wir
über uns herfielen,
glühend
von Sätzen,
die wir uns nicht
sagten.
Wir warfen uns
zwischen Phlox und Oleander,
riefen nach den Hunden,
erlaubten uns nicht
die Schreie, die gewöhnlich
auf unsern Lippen warten
und schwiegen uns
Leben ein.

## Glück

Was die Hexen mir
hinterließen:
gespaltene Kristalle
und
angefangene Märchen,
halboffne Türen
und Fallen
für halbgare Brüder.
Nun
bettle ich um ihre Gunst:
Nur
dieses eine Mal
dies falsche
Glück.

## *April in der Vaucluse*

Rot in den Stein reiben,
solange,
bis er Feuer fängt.
Die Geschichte hier
ist älter als du denkst;
aber
du kannst sie sehen:
Die Rebstöcke steigen,
glückliche Krüppel,
über den gekrümmten Grat,
verschwinden –
und wenn der Abend
das Land aufhebt,
hörst du sie singen:
Dort,
im steinkühlen Feuer,
versammeln sie sich,
traubenlos,
zu ihrem österlichen Fest.

für Elisabeth und Rolf

*Mein Kaddisch*


Du, schenk mir
den Rest deines Atems.
Die Toten füllen mich
aus.
Ein Balg bin ich,
schön geschminkt,
damit mir keiner
Leben abspreche.

Doch das Dach ist
auf mich gestürzt,
die Fenster erblindeten
unter meinem Blick,
die Blume, die mir
meine Liebste brachte,
schmolz ins Papier.

Ich will gehen.
Warum weidet ihr euch
an meiner
Geschichte, von der
nichts bleibt
als eine krause Spur:

da hab ich meine Toten
ausgestreut,
vor mir
und nach mir, wer aber
nimmt mich auf,
lebt mein Leben?

*Meine Julia*

Ich höre sie singen,
Julia –
über ihren Schatten gebeugt,
höre ich sie singen:
Geh, Romeo, geh,
nimm die Nachtigall mit,
ich will der Lerche
folgen,
die Nacht will ich
verlassen,
die nie die meine war,
aus deiner Ewigkeit
will ich hinaus auf die
Straße,
mein Lachen hören,
meine Liebe ausprobieren,
nicht unsere, Romeo.

*Christian Wagner in seinem Haus*

Die Stube geweißnet,
die Sätze ausgeschickt, alle,
die Geiß gemolken,
den Himmel übers Haus gespannt,
     jetzt
     kann er die Antworten
     einsammeln
     und unter die Türschwelle
     legen:
     Ihr seid alle
     willkommen!

## Am Grab von Camus in Lourmarin

Rosmarin für dich
und
Lavendel für Francine.
Dein Name sinkt
allmählich zurück
in den Stein.
Oben,
in der Stadt,
werden auf der Terrasse
deines Hauses
die Gespräche von damals
laut,
hitzig, die Nacht vergessend –
so, wie du schriebst,
wolltest du
hier
immer den Morgen empfangen,
den Tau versprengenden
Anfang,
die im Licht sich
verjüngende Liebe,
und der Fels,
deine Bürde, die unsere,
verliert nun
sein Gewicht
am Fuße des Bergs.

## Kaspar Hauser

Eine Liebste
möchte er,
die seinen Mund
bewohnt
und aus ihm spricht.
Damals, als sie ihn
blindgemacht,
ersann er Blumen,
die's nicht gibt.
Jetzt hat er sie
für sie gemalt.
Sprich, bittet er,
sprich mich,
wohn dich in mir ein
und ändre mich:
Einer Prinzessin stellen
sie nicht nach.
Dann singt er
wie sein Holzpferd sang
in dem Verlies,
in dem er sich vergaß.

Bevor der mit dem Messer
aus dem Schatten tritt
und stößt,
und er
– wohin auch? –
fliehen will,
den Mund voll
Blut.

*Für Fühmann*


Nein, du wolltest
den Drachen
nicht erkennen,
der dich auffraß.
Du schriebst mir:
Wenn ich
mir ausgeredet hab,
was mir eingeredet wird,
werde ich kommen.
Ich wünsch mir,
daß du wartest.
Ich wartete,
angefochten von Gerüchten,
die uns
schweigen lassen:
Er glaubt,
was niemand mehr glaubt.
Jetzt aber, in der Nachrede
und deinen schweren, herzlichen
Schatten im Gedächtnis,
steh ich wartend an
der Treppe,
da, an dem Geländer,
das warm werden könnte
von deiner Hand.

*Für Karl-Georg Flicker*

Den schönen Buchstab
schicktest du aus:
Komm!
fang mir die Wörter
ein.
Dieses Glück hast du
ausgekostet,
Serifen gedient
und nicht
Kalifen.
Bodoni kehrte
bei dir ein,
ein geschätzter Fürsprech:
Er ist dir voran,
er hat,
was er liebte,
schon zurückgerufen
in die Schrift.

## *Variation*
für Dietrich Fischer-Dieskau


Woher kennt mich
das Lied?
Warum holt mich
die Stimme ein,
jetzt,
im Schnee?
Ausgegangen bin ich,
den älteren Bruder
zu suchen,
den ich nicht habe,
der ausging,
mich zu finden.
Er ist mir voraus.
Er hat Rosen
aus dem Schnee getaut
und
den Irrweg gesegnet.
Den Weiser hat er mir
gesungen,
den ich stehen sehe
unterm sprachlosen
Himmel,
der Lieder einsammelt,
meinem Bruder zuliebe.

## *Leipzig*

Für einen Augenblick
begegnete ich
dem Kind,
das mit dem Vater
im Sommer neununddreißig
vorm Reichsgericht stand,
diesem gepflasterten Berg,
den Druck seiner Hand
kaum mehr aushielt,
aufseufzte mit ihm
und erst wieder
zu reden wagte,
erleichtert,
als der verschwiegene Mann
ihm den Bahnhof
schenkte:
Er ist der größte
von allen,
glaub mir,
soviele Geleise hat keiner,
soviele Tauben,
soviele Züge,
du kannst ihn haben,
gleich jetzt,
bevor du es besser weißt.

Für Hans Marquardt

*Der Satz des Malers*

Der Garten bekommt
ein Dach
und der Himmel ist
nur zu ahnen
unter dem Baum,
den ich pflanzte,
damit er mich schirme,
mir die Jahre
zähle.
Er könnte seinen Frieden
mit mir
teilen.
Doch ich weiß es besser.
Ich habe
die neuesten Nachrichten
gelesen,
ich habe
den Unfrieden
buchstabiert.
Vielleicht, sage ich mir,
wird mein Baum,
der wuchs und wächst
im Vertrauen auf das Licht,
die Luft, den Regen,
dürr werden
oder zu Asche verglühen,
er, der mich beschirmte,

in dessen Schatten ich
das Altern ertrug
und auch jenen Satz las,
lange vor
den neuesten Nachrichten,
den Satz des Malers
Henri Rousseau:
»Wenn ein Herrscher
Krieg will,
so soll eine Mutter
zu ihm gehen
und es ihm verbieten.«

*Auf ein Bild von Fritz Ruoff*

Mit leichter Hand geworfen:
den Stern.

Kennst du den Fänger,
seinen Himmel?
Welcher war es,
den du maltest?
Der mit dem Rußrand,
noch aufgerissen vom
Feuer und sternlos,
oder der andere,
der Kinderhimmel,
dieses von behenden
Fingern
gewobene Blau
über Neckar und Alb,
ein hochgespanntes Netz
in dem dein Stern
sich verfängt.
So
wie du ihn kanntest:
Ein Buchstab
aus einem leuchtenden
Alphabet.

*Meine Mutter*


Drei Tage lang
starb meine Mutter.
Sie liebte unerlaubt
einen Tagdieb,
einen Wegelagerer,
einen Namenlosen,
behaupteten die Frauen,
die über ihre Treue
wachten.

Keinen Brief schrieb sie,
keinen Zettel:
Komm und hol mich.
Sie lief ihm einfach
zu.
Sie lief uns einfach
weg.

Die Wohnungen waren
aus den Häusern gebrochen
und die Wege vermint.
Auf den Dächern wuchsen
Birken.
An den Horizonten schwelte
Feuer.

Und die lang gedachte
Zeit
schmolz zu einem
Tag.

Ungeduldig
brach sie auf.
Wer wollte, ungeliebt,
noch einen Namen haben?
Schön war sie
auf dem Weg zum Tier,
auf der Flucht vor
dem eingeschränkten Leben.

Ich sah sie
vor der Stadt, dort,
wo die Soldaten
ihre Pflicht vergaßen,
sah sie
in seinen Armen,
sich das Glück ausreißend
wie ein Geschwür,
ohne Gedächtnis
und leicht.

Zurückgerufen
nahm sie Gift
und starb
drei Tage lang.

# SCHNEEGEDICHTE

## Mein Anderer

Die Vogelschrift,
ich kann sie nicht
lesen.
Und der in der Luft
gefrorene Mann,
dieser kristallene
Totempfahl,
hält seine Rede
nicht für mich.
Ein Windstoß,
denke ich,
wird ihn zersplittern
oder eine Blume ihm
in den Fuß wachsen,
wenn die Sonne
den Boden wärmt
und ich mich frage,
ob ich bei ihm
bleiben soll
als sein Gedächtnis.

## Vorzeit

Mondkalt und lautlos:
Sprich nicht,
die Gegend
könnte sich ändern!
Ohne Grund
beginnt sie
zu schweben.
Wir waren hier,
nun weiß ich es
wieder,
ehe wir
schwer wurden
und uns ansiedelten.

## Die Mörsinger Pappel

Die Mörsinger Pappel
hab ich verpflanzt,
dem Sommer entführt
und einem kahlen
Buckel geschenkt.
Dort,
im Schnee,
erklärt sie
dem Horizont
ihre Schönheit.
Ohne Laub,
zart und
warm im Holz
prägt sie sich
ihm ein.

## Nachtschnee

Nachtschnee, Tintenschnee,
Schnee, der vorm Tag
aufhört, Schnee, der nichts
preisgibt: Liebesschnee,
der in schwarz feuernden
Iglus die Winterhex wärmt,
bis sie das Fell sich
vom Leib reißt und
auf dich einschlägt
mit dem Sternbaum: Wirst
du tauen mit mir, Liebster
und nichts hinterlassen
als die Wurzel, den Buchstab,
der uns fesselt: Hier,
im heißen Schnee?

## Unverfrorener Brief

Du wolltest, schreibst du,
hinaufziehen
auf den Berg,
dich entfernen,
doch nicht verlieren;
hoch hinaus,
schreibst du,
und ich lese
dein Lachen mit.
Die Liebe vom Vorjahr –
nun endlich traut
sie sich Wörter zu,
Konjunktive, tauglich
für den Schnee,
wo es unverfroren
bleibt zu erinnern,
zu wünschen:
Hättest du,
wüßtest du,
kämest du nur.

Schneelied


Mit dem Schnee
will ich trauern.
Schmelzen wird er
und deine Schritte
vergessen.
Hier
bist du gegangen.

Kehr zurück.
Laß dich bitten
mit dem erwachten
Fluß,
dem wieder
gefundenen Land.

Jetzt,
nach dem Frost,
tauen in meinen Briefen
die Sätze
und holen dich,
ohne Gedächtnis,
ein.

Kehr zurück.
Und sei
wie vor dem Schnee.

# Flügel

Damals, entscheide du
wie lange es her ist,
als wir uns rücklings
in den Schnee fallen
ließen, die Arme ausbreiteten
und wie mit Flügeln
schlugen, damals,
als wir Engel im Schnee
ließen: Frühlingsschatten,
der Abdruck unseres Glücks –

wir werden, Liebe,
ich bin sicher, uns
entgegengehen und
die Flügel werden uns
aus den Schultern
wachsen,
leicht und flüchtig
wie Schnee.

# Ungeduld

Den letzten Schnee
hab ich dir
vom Hals geleckt.
Unsern Morgenschatten
haben wir
aus dem Eis gebrochen.
Du hast das Frühjahr
angefleht: Komm,
weh mir entgegen.
Doch dann haben wir
uns nicht aufs Jahr
verlassen
und zu brennen
begonnen,
dein Schatten
und ich.

## *Flüchtig*

Dort,
unterm leichteren Tagmond
hab ich
mit falscher Währung
gezahlt.
Ich traf dich,
gab dir einen Namen
und zog die Küste
unter unsere Sohlen.
Willst du wissen,
wer ich bin? fragte ich
und dachte mir
mein besseres Leben aus.
Es würde,
ich wußte es,
nicht länger dauern
als die Spanne
zwischen Mond
und Mond.

## Überlebensversuche

Ich zieh mir
die Haut ab
und dir über.
Bist du es?
Kann ich den Himmel
wechseln,
in deiner Stadt mit
dir
zu deinem Haus gehn?
Werde ich mit dir
ankommen?
Laß mich leben
zwischen mir und
dir.
Vielleicht
nimmt unsere Liebe
sich die Zeit,
die wir nicht
haben.

*Andenken*

Kann es sein,
daß dein Sommerschatten
meinen Winter
überdauert?
Erzähl mir noch einmal
deine Geschichte.
Ich sah dich,
ich hörte dich sprechen,
ehe du sprachst.
Ich überließ meine Lippen
der Luft
und sie legten sich
auf deine.
Ich schlief deinen Schlaf
und wachte ohne dich
auf.
Erzähl!
Ich wärme
deinen Schatten
vorm ersten Schnee.

*Erwünschter Brief*

Schreib mir:
Noch im April
könnten wir
nach Venedig reisen.
Das ist ein Brief,
wie ich ihn
erwarte.
Schreib mir:
Du hast
ein Jahr gut
und kannst es
wiederholen.
Schreib mir:
Ich hab dich
noch nicht angefangen,
es könnte mit dir
gehn.
Schreib mir:
Bleib weg,
damit du mir
bleiben kannst,
und schreib mir:
Noch im April
könnten wir
nach Venedig reisen.

## Flüchtige Begegnung

Eine kleine Wolke
rief ich.
Sie flog gegen den Wind,
regnete sich
leer für dich,
wusch dir die Stirn,
verzärtelte deine Schultern
und machte dich
am Ende frösteln.
Ich rief sie,
ehe ich dich traf.
Ich rief sie,
um dich zu erkennen
in ihrem Schatten.
Sie wird
schmelzen im Licht
wie du
auch.

## Ich bau dir ein Zimmer

Ich bau dir ein Zimmer,
sag ich, es schwimmt
auf dem See, es hängt
zwischen Ästen im Baum,
es nimmt seine Wände
nicht ernst, es wird
weit, es wird eng.

Ich bau dir ein Zimmer,
sag ich, für alle
Jahreszeiten, einen Teppich
aus Schnee, und den
Sommer in der Tapete,
die Wiese unterm Tisch,
Weinlaub an der Tür.

Ich bau dir ein Zimmer,
sag ich, es ist unsre
Wiege und es ist
unser Sarg. Ein Zimmer,
sag ich, aus Nichts
und aus allem. So haltbar
wie dieses Gedicht,
das du bewohnst.

## Vogelleicht

Vogelleicht –
was heißt das?
Die Luft bekommt Hände
und
fängt uns auf.
Wir erkunden den
Horizont
und balancieren auf
Stimmgabeln.
Wir reden uns Kinder
ein
und ihr Geschrei
treibt uns
aus dem Garten.
Morgen, sagen wir uns,
morgen,
wenn sie ausgeflogen sind,
könnte es sein,
die Luft bekommt Hände
und wir legen uns
nebeneinander,
um die Krähenfüße
zu zählen,
und fragen uns:
Was heißt das? Vogel-
leicht –

*Sturmlied*

Komm übers Haus
mit Wind mit Regen mit Schnee.
Reiß an den Ziegeln,
drück die Fenster ein,
setz Dielen unter Wasser
und Teppiche in Brand.

Zu lange puppte ich mich ein
und lebte leblos nur
mit Launen und Gespenstern.
Redete mit Schatten
und las alte Briefe leer.

Jetzt endlich friere ich
und brenne. Die Worte klumpen
mir im Mund. Sie werden Fleisch.
Ich spuck sie aus. Ein Glück,
daß mir nichts bleibt als du.

*Erinnerung an Liebe*

Teilte ich die Blätter aus,
auf die ich
meine Verabredungen für morgen
schrieb:
Wer käme?
Weiß ich noch den Erdteil,
den wir uns versprachen?
Ich hab dir ein blühendes
Gebirge aufgeredet,
die verwegene Haartracht
alter Wälder;
ich hab dir ein Bad
in wieder vergessenen Flüssen
versprochen.
Nichts,
nichts hast du,
nichts hast du mir
gelassen:
Du bist die Schwarze,
die den Spiegel sprengte,
du bist die Zwergin,
die mir die Taschen
ausräumte,
du bist die Sanfte,
mit der ich am Morgen
auf der Schwelle schlief,

du bist jene mit den erwachten
Augen,
die nichts sagte,
die mir die Zunge
auf die Zunge
legte.
Könnte ich,
wiederholte ich dich,
Liebe.

*Nach dem Fest*

Ich sammle die Streitfälle
ein,
auch die freundlichen,
die belanglosen.
Kühl geworden ist es
auf der Terrasse.
Den Mond hat
der letzte Gast mitgenommen.
Vielleicht, denke ich,
wünsche ich,
kehrt sie lautlos
zurück,
der Morgen läßt ihr
mit einer Handvoll
Licht
den Vortritt
und ich höre ihr zu,
wie sie mit den verlassenen
Stühlen
dieses Gespräch wieder
aufnimmt,
in dem ich sie
entdeckte.

## Ankündigung

Noch immer
kann ich mir Reisen
ausdenken
und nicht zurückkehren,
einen Teppich knüpfen
oder
meinen Garten
auf den Kopf stellen,
noch immer
kann ich Lebensläufe
erfinden,
dich;
den Frühling aufsagen
und mich auf den Winter
einstellen –
aber
wie kann ich mich
hinterlassen,
daß ihr weiter
mit mir umgeht
und auf den Reisenden
wartet:

Er hat sich angesagt,
kommen wird er, bald,
ein Glücklicher, dem
das Pech an den Sohlen
klebt.
Streichelt ihn,
bis er glüht.

*Abendsätze*


Dich schlafen zu sehen,
eingerollt
wie eine Katze
und ausgeschlossen
zu sein
aus deinem Traum –
nach so vielen
Jahren
genieße ich es,
nichts zu haben
von dir
als dieses
ungleiche Vertrauen.

## Ich werfe deinen Schatten

Ich werfe
deinen Schatten.
Mehr habe ich nicht
von dir.
Du gehst mir voraus.
Du gehst mir nach.
Du bist kühler
als ich.
Wenn ich auf dich
falle,
verlierst du
mich.

*Erschreckte Sätze*


Wie dein Gesicht
durchs
Papier schlägt!
Ich wollte dir schreiben,
Liebe:
Ich bin auf Reisen,
doch nicht
zu dir.
Als ein anderer
wollte ich dich
überraschen,
dein Amselherz erschrecken.

Jetzt,
in diesem Augenblick,
unter einer tötenden
Wolke,
vor der ich meine Sätze
verstecke,
sehe ich deutlich
dein Gesicht
auf dem Papier
und
schreibe dieses Gedicht
hinein.

*Im Juni*

Das gestapelte Holz
beginnt auszutrocknen
und zu wispern.
Endlich kannst du
mit dem Löffel
gegen die Tasse
schlagen
und den Morgen einläuten.
Ich frage dich,
welchen Sommer haben
wir
und welches Frühjahr ist uns
ohne Nachlaß
vergangen?
Die Gäste vom Vorjahr
haben ihre Stühle
in den Schatten
gerückt.
Wir beginnen ein
Gespräch
und überlassen es
ihnen.
Dein Schweigen hebe ich auf
für den Nachmittag.

## Nachrede

Lauf nicht fort.
Wärme die Wörter,
die ich dir nachwarf,
um dich
zu beleben:
Ein Satz mehr,
der mich betrügt.

## Zwischenbericht

Noch immer
zwischen Gesprächen,
die aus Unlust
abbrechen,
die Entdeckung
eines Blicks,
den du
zu kennen glaubst
aus einer Zukunft,
die du mehr und mehr
aussparst.

Weiter unterwegs,
verletzbar und
in Verlusten geübt.
Nur selten noch
mit der Hoffnung
feilschend,
dieser verkrüppelten,
ausdauernden
Gefährtin.

## Der vorläufige Tod

Trau dich,
flieg unter meine Zunge,
der Knorpel wird
wachsen,
ein Nest
von wuchernden Wörtern.
Ich hab dich ausgespuckt,
ich hab dich erbrochen,
ich bin erstickt an dir,
jetzt kau ich dich
durch,
jetzt weich ich dich
ein,
jetzt will ich dich
haben,
sperrig,
das geläufige Unglück,
dieses Wort,
das mir den Schlund
schloß:
Ich vergaß es.

*Das andere Leben*

Schlüpf, erwärmte Seele,
unter den Balg, ins Holz,
unter den Schnee,
atme den Atem der schon
Verlorenen,
nimm auf, was verworfen wurde,
belebe den Staub,
die gedörrten Gedanken,
niste dich ein
im Kiesel, im Fels,
in der wartenden Leblosigkeit,
ein erinnernder Kern,
der das Kind ruft
und den Greis,
der die Liebe häutet
bis ans Herz,
der die Wörter wendet
und den Horizont sprengt:
mein Gefängnis, meine Geschichte.
Brich auf, erwärmte Seele.

## Widerspruch

Da, in das Wasser
kann ich mein Gesicht
versenken,
die Zeit,
die meine Augen schwächte,
die Sätze,
die meine Haut fältelten.
Verwildern will ich
zwischen den Jahren,
die mir Schuld
zufügten.
Ich lagere mich ab
rund um dein Herz,
mit all den Schwüren,
Verwünschungen,
den großen Auftritten,
die mich
in deinen Spiegel trieben.
Ich gehe
nicht,
Undine.

## *Schwarze Zeilen*

Nichts
als der schwarze Teig,
in dem du mich
einbäckst,
das Ersticken
vor der Nacht.
Wie komme ich
davon?
Warum hat die Sonne,
die du aufziehst,
einen Aschenrand?
Wie kann ich sterben
ohne dein
Zutun?
Mit welchem Vorschlag
bringst du mich
um?
Ich komme nicht
davon
und überlasse
mein Ende
dir.

*Sätze vor dem Gedicht*


Ich rufe die Wörter
zusammen,
sie haben
kein Fell, kein Gefieder,
sie haben, wenn
sie sich im Rudel drängen
und auf mich warten,
nur eine dünne Haut,
die reißt und sie
bloßstellt,
sobald ich ungeduldig werde
und sie nicht streichle
mit meiner Stimme.

## Mitteilung

Meine Hinterlassenschaften haben
kein Gewicht.
Wieviel wiegt ein Satz,
wieviel ein Zuruf,
den ich unterließ?
Wieviel der Augenblick,
in dem ich dich
erfand.
Hörst du mich?
Hör ich dich?
Die Nacht könnte sich
spalten
für den einen Tag,
der uns einholt
und wiegt,
was wir gewesen sind,
ich
und
du.

# *Bitte*

Wie Striemen
von der Haut
löst sich
unsere Geschichte.

Totenbänder,
auf denen
Lebensläufe stehn.

Welche Friedlosigkeit
taufte
unseren Frieden.

Sprecht,
die ihr lebtet,
um unseretwillen
das erlösende Wort,
damit dieser
schmutzige Frieden
sich läutere.

## Mein Land

Ebenezer könnte mein Land
heißen
oder Ruth,
wovon meine Mutter
erzählte.
Alle Bäume kannte
sie dort beim Namen,
die Flüsse auch.
Wie hoch gebaut
die Stadt!
Sie geht da ein
und aus,
zählt die Tore,
zählt die Häuser
in einer Sprache,
die ich nicht kenne,
die von mir weiß,
die mich nennt
beim Namen.

*Vorläufige Erfahrung*

Die Erde springt auf
wie ein Apfel.
Sie teilt,
was wir wußten,
sie reißt uns entzwei.
Fern sind wir
uns.
Unsere Mütter haben
uns noch
vom Leben erzählt.
Abends zählen wir
die Rauchfahnen
auf dem andern Kontinent.
Er entfernt sich
von uns.
Wir entfernen uns
von ihm.
Es ist unsere Hälfte
des Lebens.

## Danach

Die einfachsten Verrichtungen
hatten sie verlernt.
Nichts hielt ihre Erinnerung
fest.
Aus Kinderschuhen sprossen
Wegwarten.
Manchmal, wie im Spiel,
fingen sie Tropfen aus
der Luft,
geronnenes Blut
oder sie bauten
Türme aus Sand
und hingen ihnen
Glöckchen in die Fenster.
Eine Weile warteten sie
so
noch am Rand der Erde
auf jene,
die nach ihnen kommen
könnten.
Ohne daß sie miteinander
sprachen
und
planlos.
Bis sie leicht genug waren
für den Wind.

*Finis*

Als unterm Eis,
dem großen, letzten,
das die Erde einschloß
und kühlte
nach dem rasenden Feuer –
als unterm Eis
die Rufe, die Schreie,
die Seufzer sich
sammelten, losgelöst
von den Mündern,
winzige Blasen,
in denen die Laute
vorm Schweigen erstarrten, –
als unter diesem Eis,
das keiner je sehen wird
außer dem Einen,
den nie einer sah,
die Rufe laut wurden,
die Schreie, die Seufzer,
begann die große Kugel,
sich an Wärme erinnernd,
ans Leben, vom Kern
her zu bersten. Und
der Himmel weitete sich
zum Abgrund.

*SAVONLINNA (FINNLAND)*
für Mitsuko Shirai und Hartmut Höll

1
Der See

Das Wasser tönt
unterm Steg,
auf dem ich liege;
den Himmel über mir
hab ich nicht
mitgebracht.
Nachts, wenn er
dunkeln sollte,
verschwendet er
den Tag –
berauscht gleiten wir
in den See,
den Fischen gleich
oder jenen Wesen,
um deren Leiber
das vom Himmel satte
Wasser Schuppen legt.
Uns vergessend
treiben wir
in fremder Haut
nahe dem tönenden
Steg.

**2**
Die Wörter


Kieselsteine im Mund
und Wörter,
die auf ihnen
kauen,
Steinwörter,
alt und haltbar,
mit einem Kern
aus süßem Schnee:
Sie können,
sobald die Wälder
im Wind
sich beugen
und der Abendsee
Feuer schluckt
zu singen
beginnen.

3
Der Wald


Jeden Abend
tritt der See,
übervoll von Licht,
über die Ufer
und treibt den Wald
vor sich her;
jeden Morgen
kehren die Bäume,
deinen Schlaf streifend,
sich schwarz in
deinen Träumen
zusammenrottend,
an ihren alten Ort
zurück —
dann kannst du
hinausschwimmen
und sie,
die wieder Verwurzelten,
aus größer werdender
Entfernung
sehn.

**4**
Die Elstern


Die graumäntligen Elstern
hier
stehlen,
was am Straßenrand verloren
ging,
verarmte Weglagerer.
Im Nachtlicht aber
putzen sie sich heraus,
nehmen lang vergessene
Namen an
und singen mit
den Stimmen
anderer –
du kannst sie hören,
wenn du vors Haus
trittst
und ihnen glaubst.

5
Das Kind (An M.)


Diesem Kind, das
mit Linné korrespondiert
über die Pilze
im Norden,
das Tamino
den kürzesten Weg
durch den Wald
weist,
das mit seinen grundlosen
Augen
Sprichwörter in eine Sprache
übersetzt,
die ich nicht kennen darf,
diesem Kind, das
wie ein Nachtfalter lebt,
lautlos, und
das mir voraus hat,
was ich fürchte,
diesem Kind, das
sich zwischen zwei Buchseiten
preßt
wie ein Stück Birkenrinde –
ihm bin ich
hier
begegnet.

## *Nachtlied*

Wohl tut es, den Rest
unserer Zeit auf der Haut
zu verteilen.
Wir altern. Wir tragen
ab, wovon wir zehrten:
Dieses Lächeln, das
sich Anfänge zutraut,
dieses Haus, das
hofft zu bestehen,
diesen Lärm, den
wir ausschicken, um
Leben zu bekräftigen –
reib's dir ein in die Haut.

# Inhalt